효린파파의

즐겁게 따라 쓰면 저절로 완성되는

막 써지는 영어 알파벳

성기홍(효린파파) 지음

· BOOK 3 ·

알파벳 K~O

Day 1 월 일

그림을 보고 알맞은 알파벳 스티커를 붙여 보세요.

대문자 K와 소문자 k를 순서에 맞게 따라 써 보세요.

단어를 소리 내어 말하고, 첫소리 글자에 색칠한 후 스티커를 붙여 보세요.

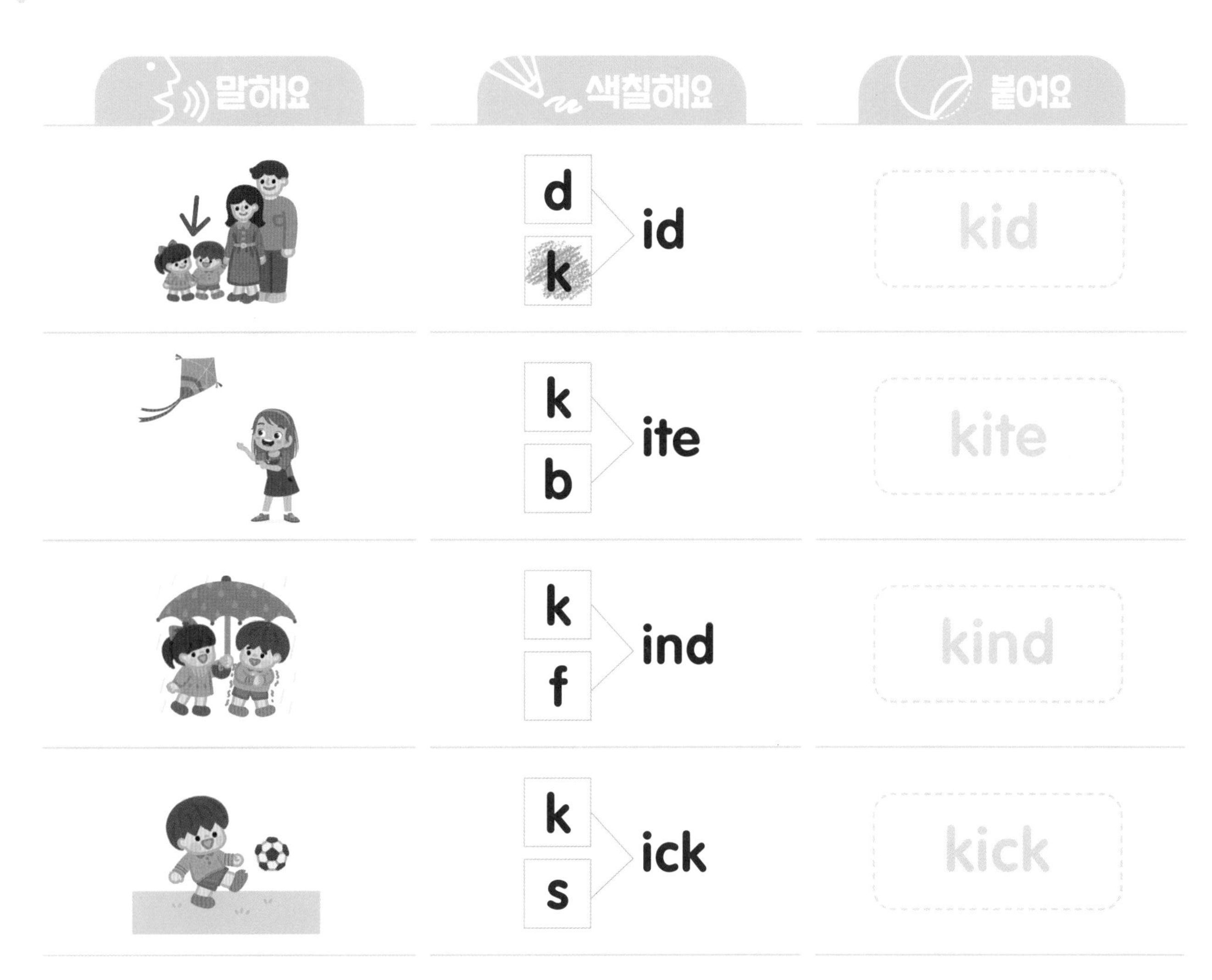

대문자 K와 소문자 k를 따라 써 보세요.

대문자 K와 소문자 k가 들어간 단어의 그림에 모두 동그라미 하고, 알파벳을 따라 써 보세요.

KICK

fan

igloo

ANT

KID

kind

kite

DOWN

duck

소문자 k를 따라 쓰면서 그림에 알맞은 문장을 완성해 보세요.

A kind kid with

a kite kicks a ball.

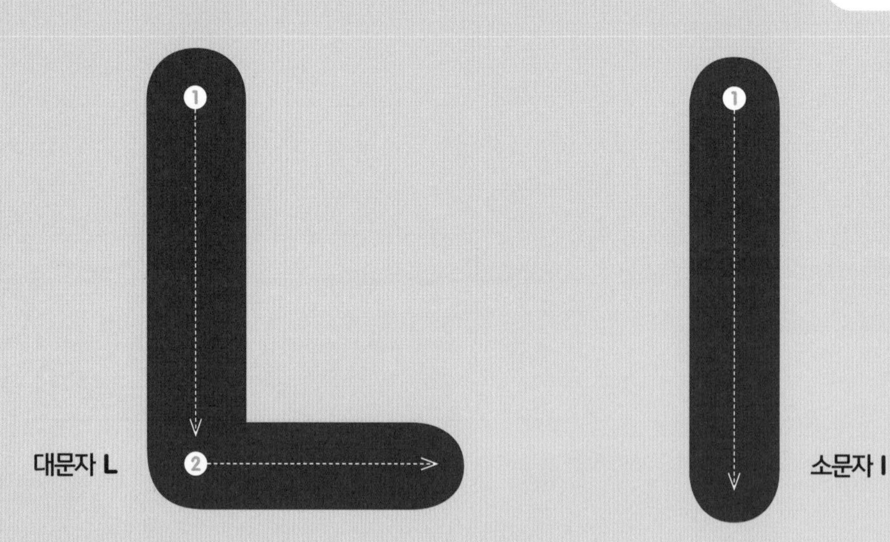

그림을 보고 알맞은 알파벳 스티커를 붙여 보세요.

대문자 L과 소문자 l을 순서에 맞게 따라 써 보세요.

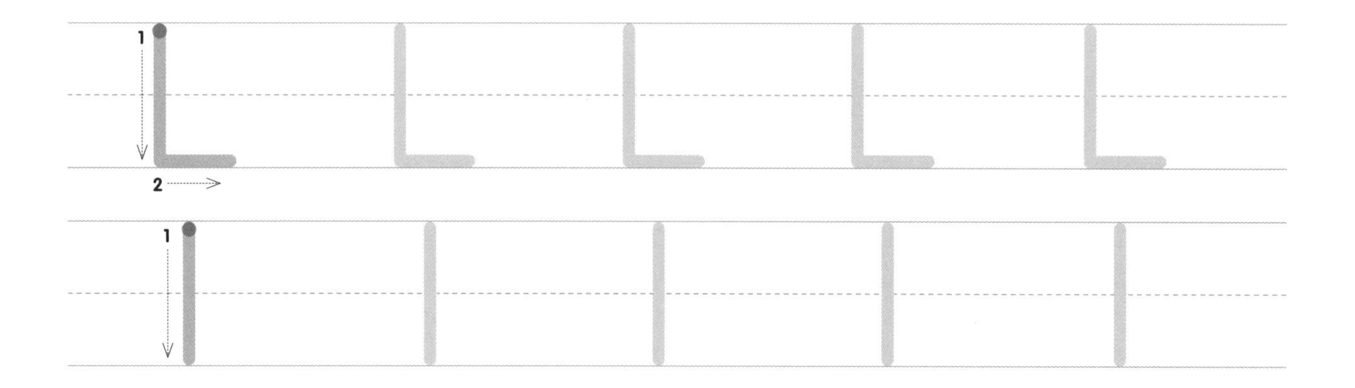

단어를 소리 내어 말하고, 첫소리 글자에 색칠한 후 스티커를 붙여 보세요.

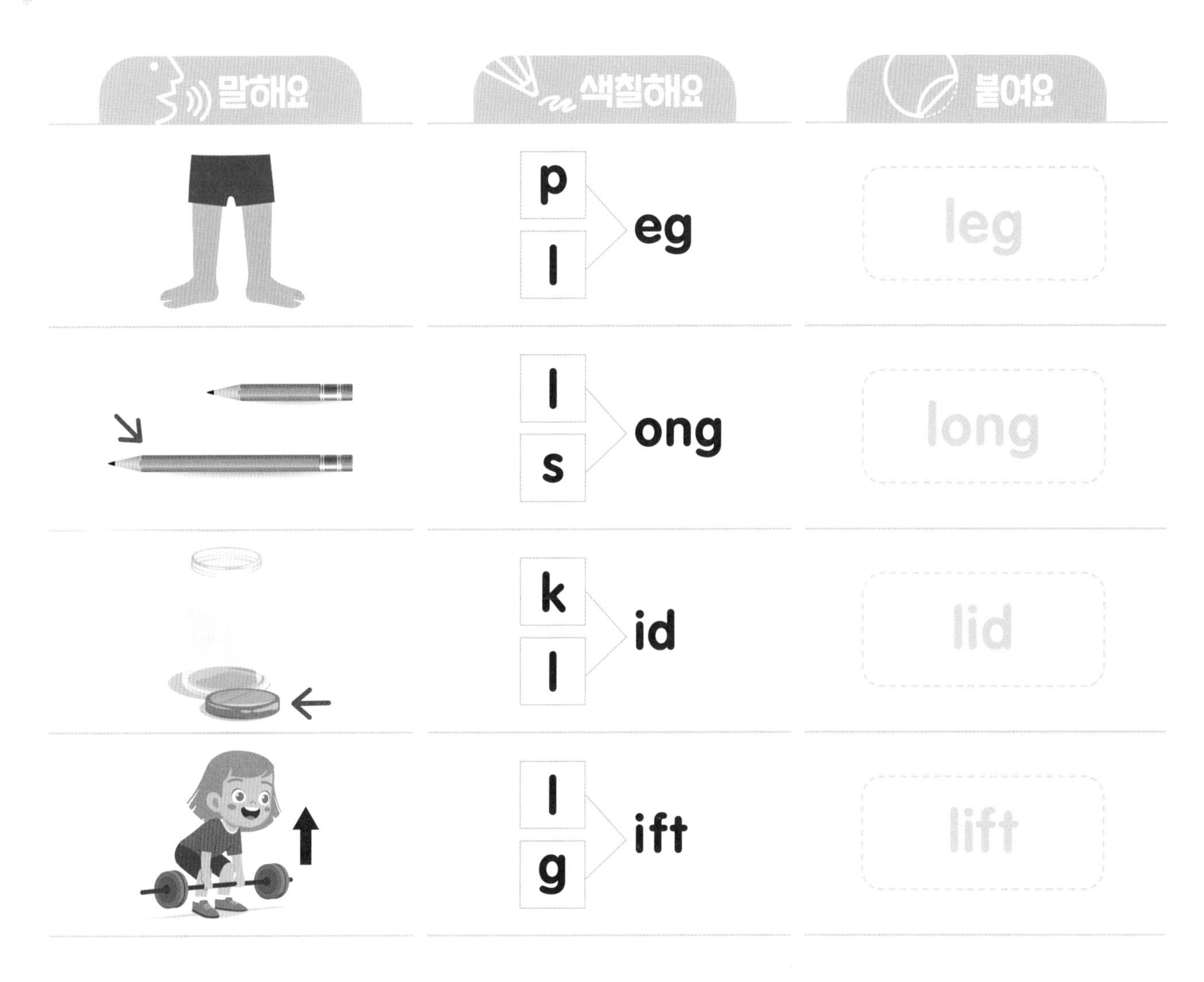

대문자 L과 소문자 l을 따라 써 보세요.

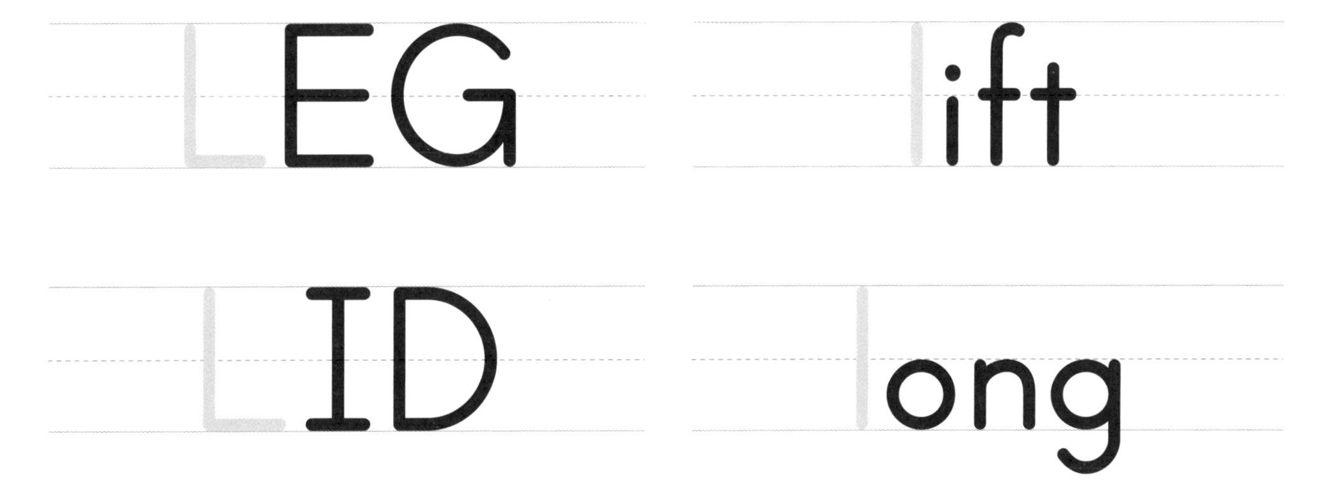

 대문자 L과 소문자 l을 따라가며 냄비가 넘치지 않게 뚜껑을 덮어 주세요.

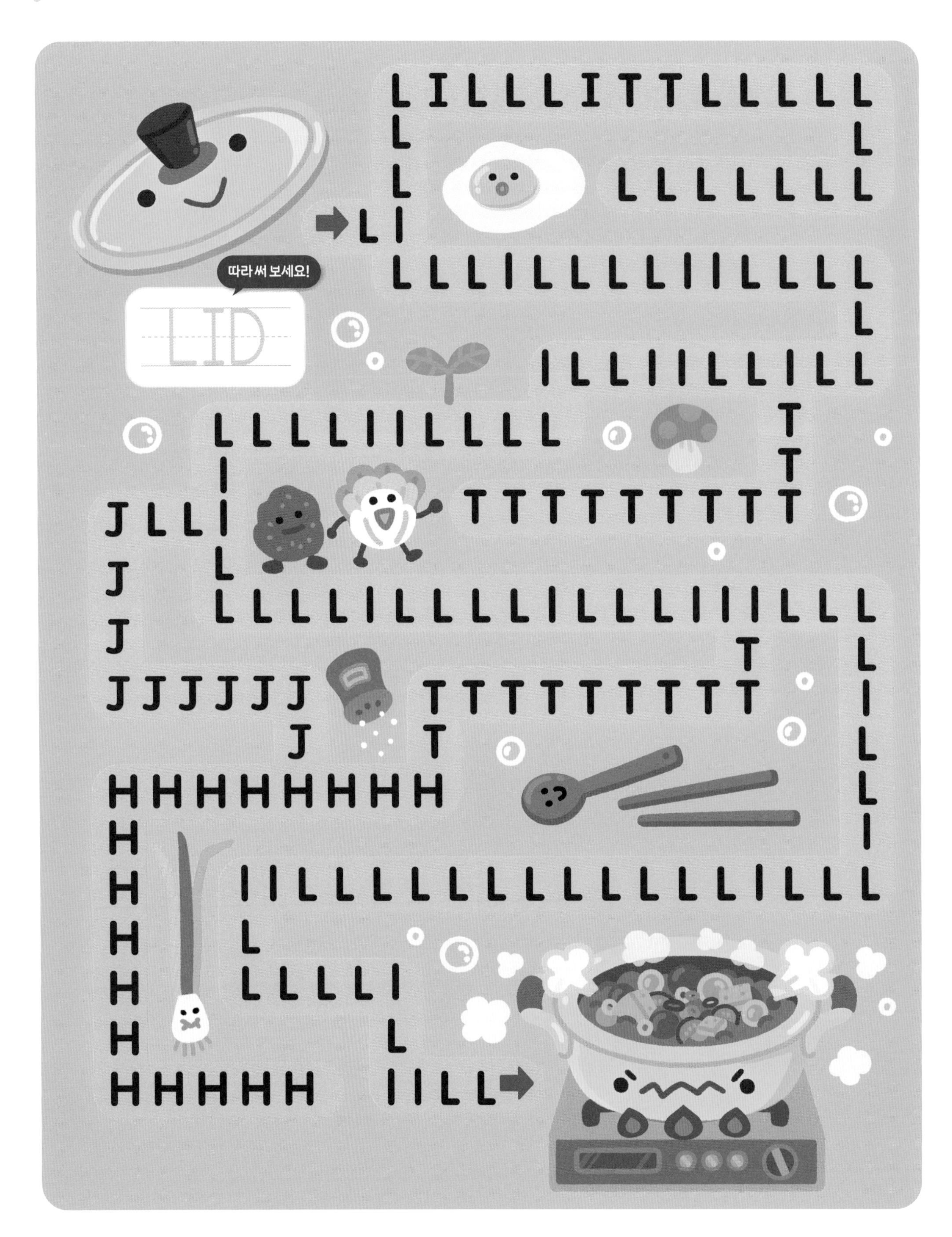

대문자 L과 소문자 l을 따라 쓰고 알맞은 그림과 연결해 보세요.

대문자 M

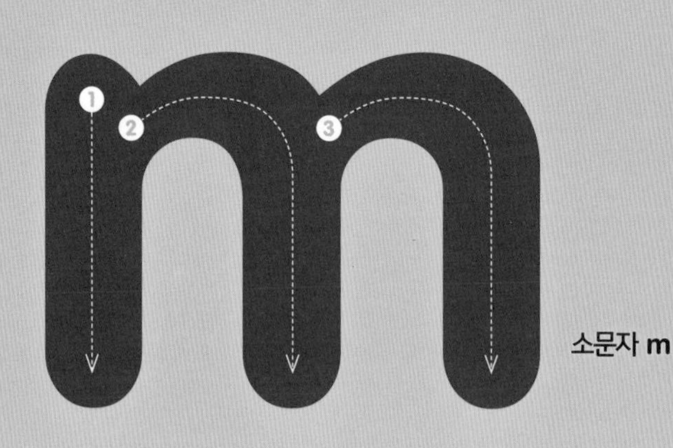

소문자 m

그림을 보고 알맞은 알파벳 스티커를 붙여 보세요.

대문자 M과 소문자 m을 순서에 맞게 따라 써 보세요.

단어를 소리 내어 말하고, 첫소리 글자에 색칠한 후 스티커를 붙여 보세요.

대문자 M과 소문자 m을 따라 써 보세요.

대문자 M과 소문자 m을 바르게 짝지은 것을 모두 찾아 동그라미 해 보세요.

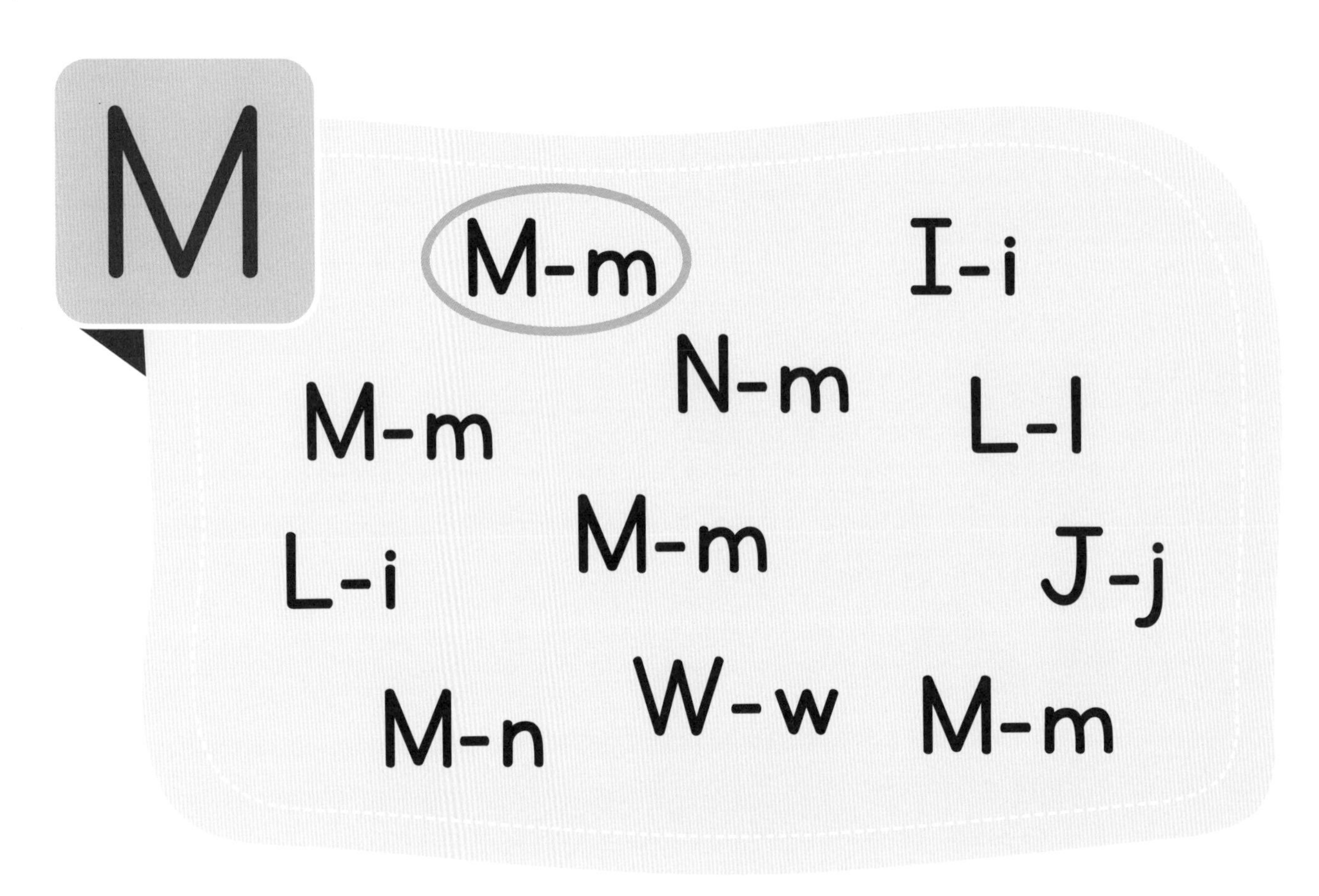

대문자 M을 따라 쓰면서 퍼즐을 완성해 보세요.

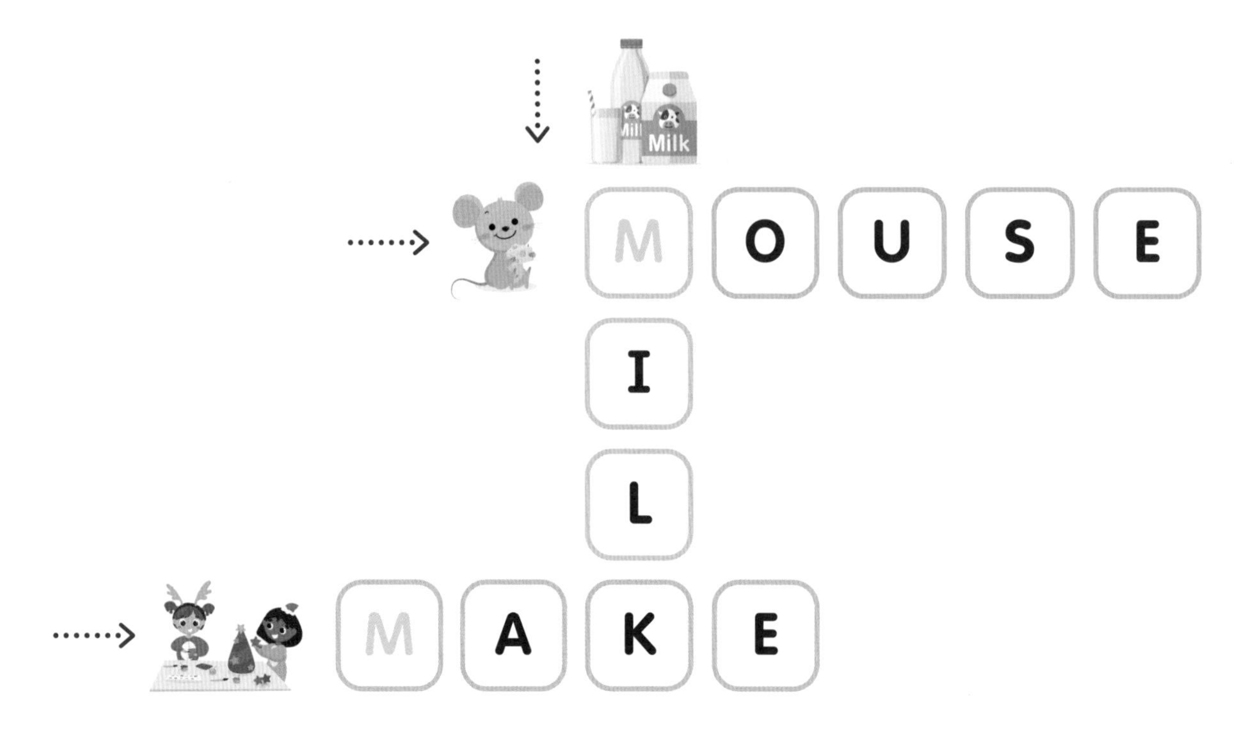

대문자 M과 소문자 m을 따라 쓰면서 그림에 알맞은 문장을 완성해 보세요.

들어 보세요

Many mice make

many jars of jam.

 → mouse  → mice

들어 보세요

Day 4 월 일

그림을 보고 알맞은 알파벳 스티커를 붙여 보세요.

대문자 N과 소문자 n을 순서에 맞게 따라 써 보세요.

단어를 소리 내어 말하고, 첫소리 글자에 색칠한 후 스티커를 붙여 보세요.

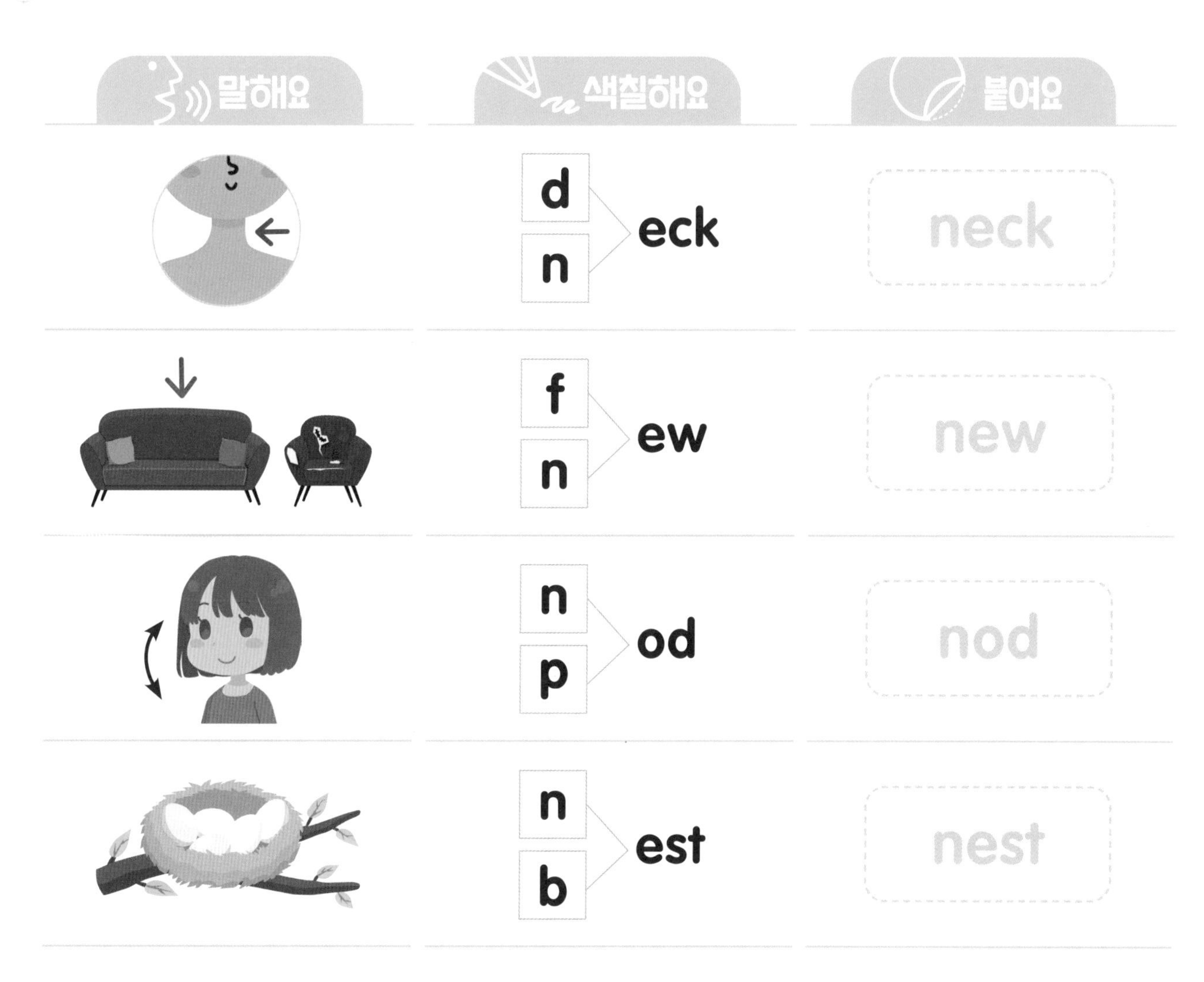

대문자 N과 소문자 n을 따라 써 보세요.

대문자 N과 소문자 n을 잠자리채로 잡아 동그라미 해 보세요.

 대문자 N과 소문자 n을 따라 쓰고 알맞은 그림과 연결해 보세요.

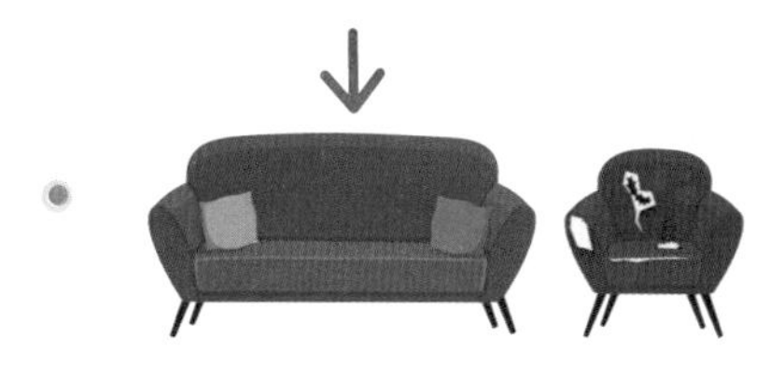

neck

new

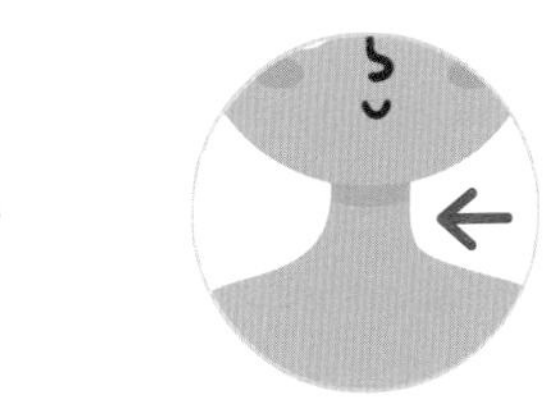

NEST

nap

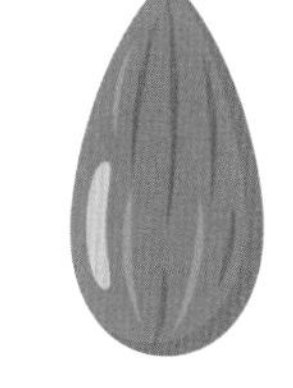

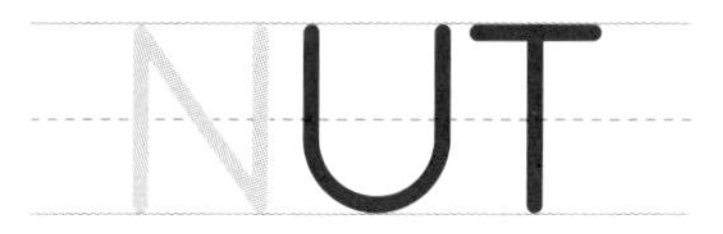

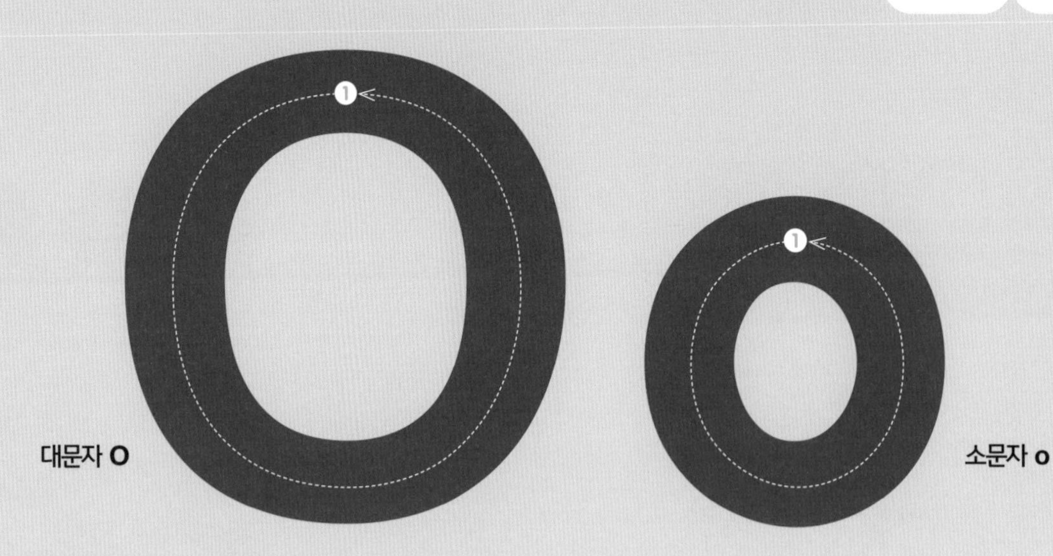

그림을 보고 알맞은 알파벳 스티커를 붙여 보세요.

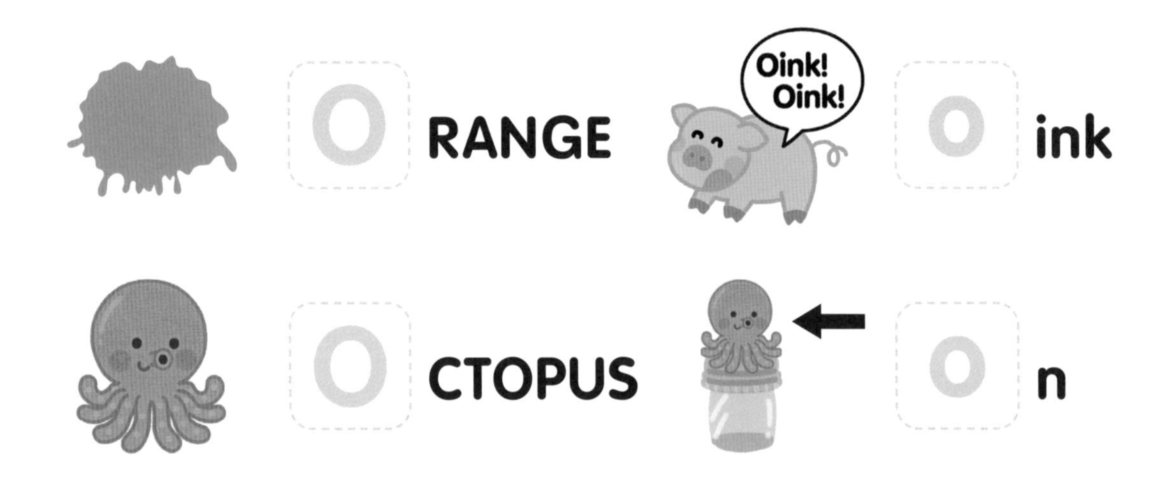

대문자 O와 소문자 o를 순서에 맞게 따라 써 보세요.

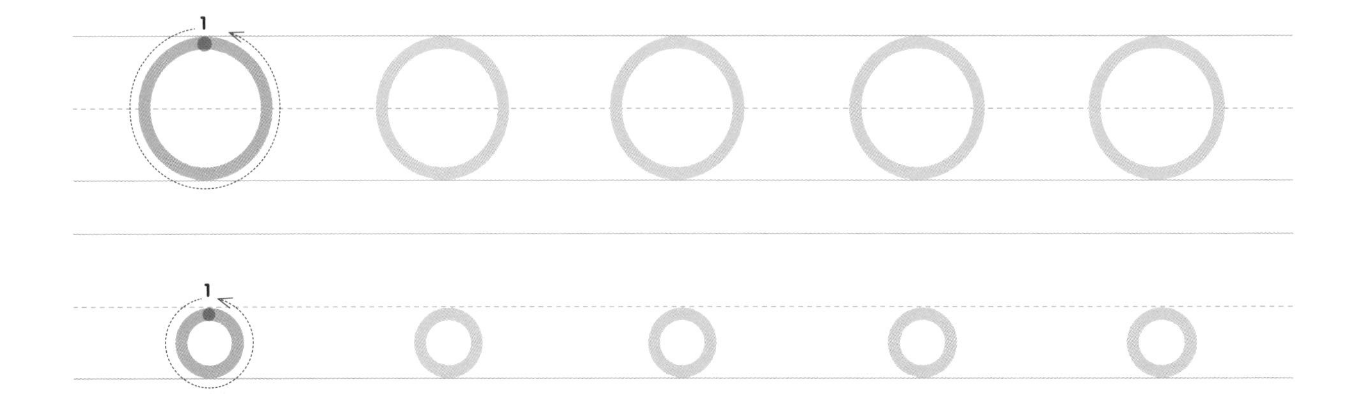

단어를 소리 내어 말하고, 첫소리 글자에 색칠한 후 스티커를 붙여 보세요.

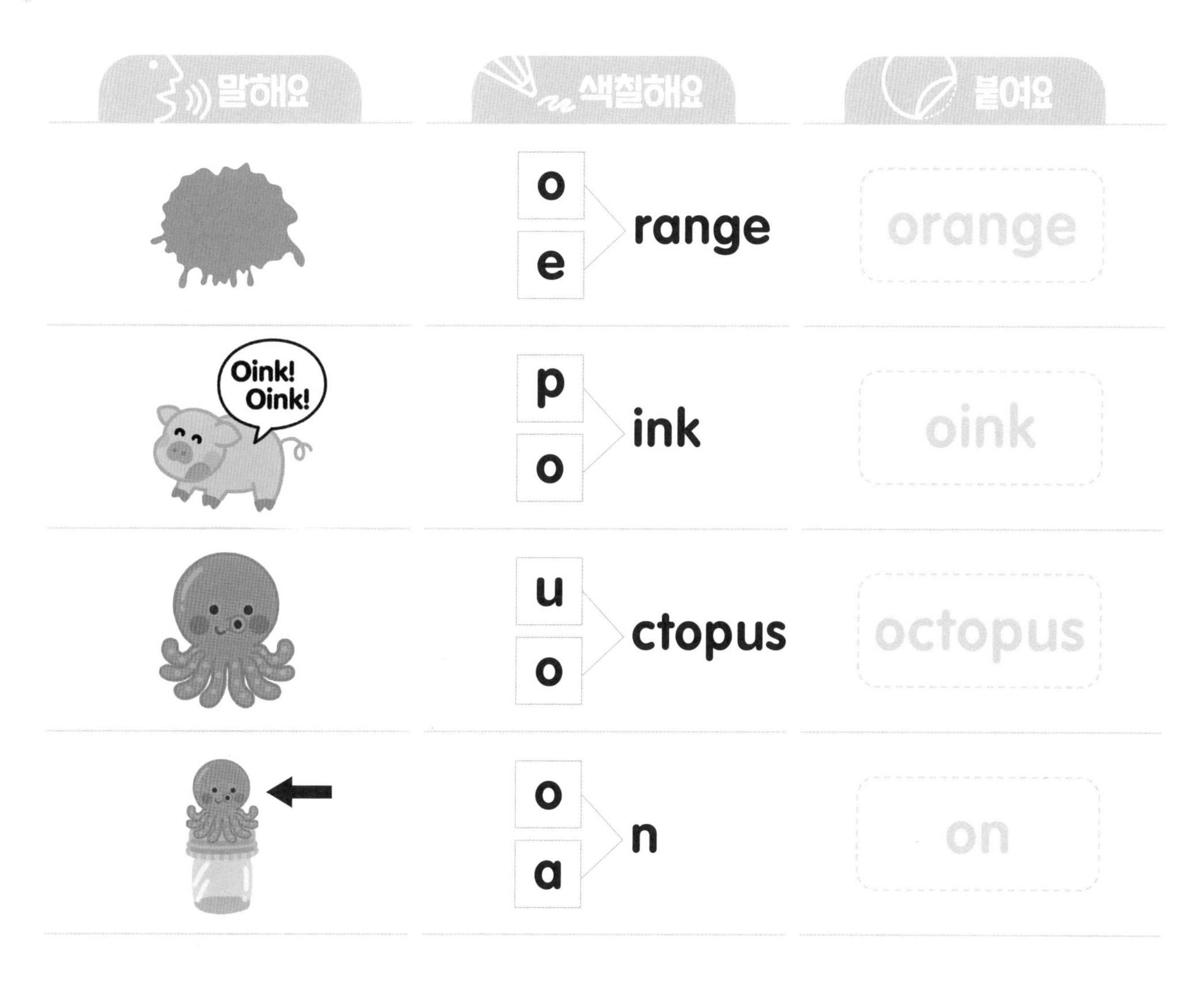

대문자 O와 소문자 o를 따라 써 보세요.

대문자 O와 소문자 o를 품은 문어를 모두 찾아 색칠해 보세요.

대문자 O와 소문자 o를 따라 쓰면서 그림에 알맞은 문장을 완성해 보세요.

들어 보세요

An owl says "Oink!"

on an orange octopus.

복습

  월  일

 단어의 첫소리를 잘 듣고 알맞은 알파벳 스티커를 붙여 보세요.

  ID

  EG

 ILK

  est

  EW

 ite

  ift

  range

  od

 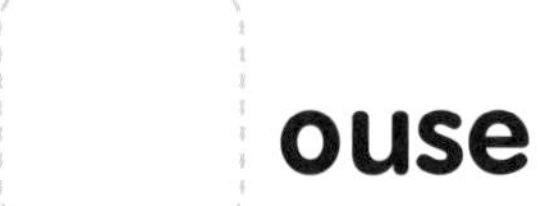 ouse

  N

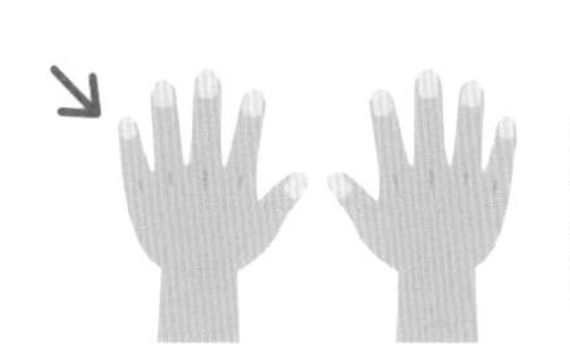  EFT

그림을 보고 단어를 따라 써 보세요.

대문자와 소문자를 다시 한번 따라 써 보세요.

K Kk

L Ll

M Mm

N Nn

O Oo

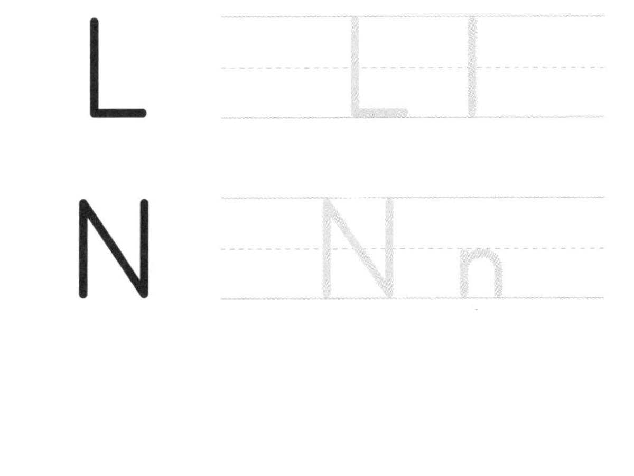

단어 속에서 알파벳 Kk, Ll, Mm, Nn, Oo를 찾아 보세요.
Kk에는 ○, Ll에는 □, Mm에는 △, Nn에는 ☆, Oo에는 ♡를 그려 보세요.

L I C K

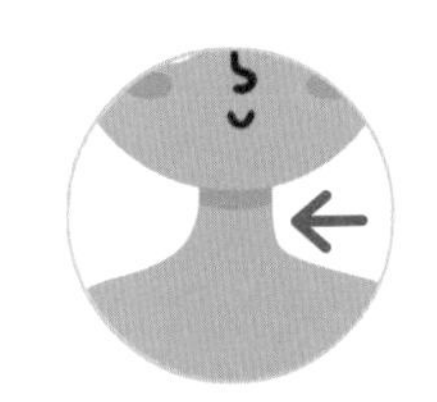

n e c k

k i c k

l o n g

M I L K

m a k e

o r a n g e

M A N Y

O I N K

N E W

복습

알파벳 사이에서 알맞은 단어를 찾아 동그라미 하고 다시 한번 써 보세요.

kinkindi

kind

leglengl

NMILKMIK

jogogjoj

goddodog

ODNODNDO

Day 7 월 일

 알파벳 사이에서 알맞은 단어를 찾아 동그라미 하고 다시 한번 써 보세요.

bowblowo

w

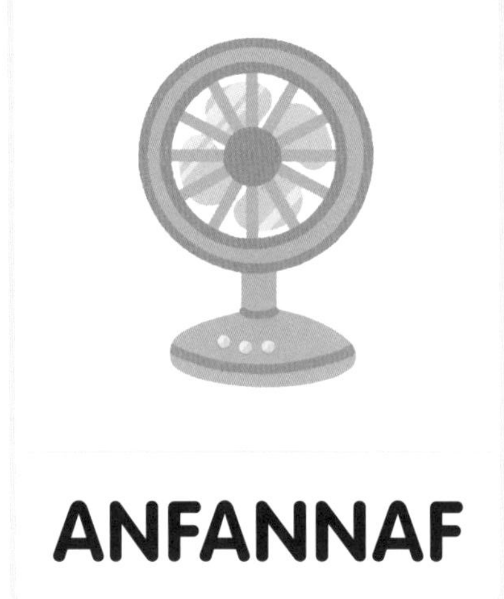

ANFANNAF

l l i l l i l i

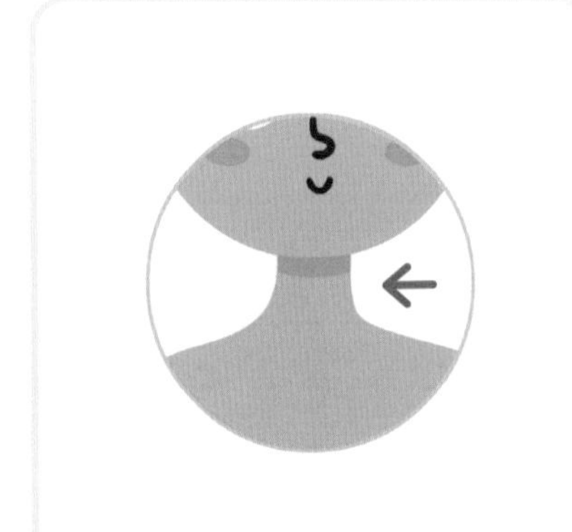

neknneck

KICKIKIC

e f e l e l f l

부분과 전체 그림을 연결하고 알맞은 단어를 대문자와 소문자로 써 보세요.

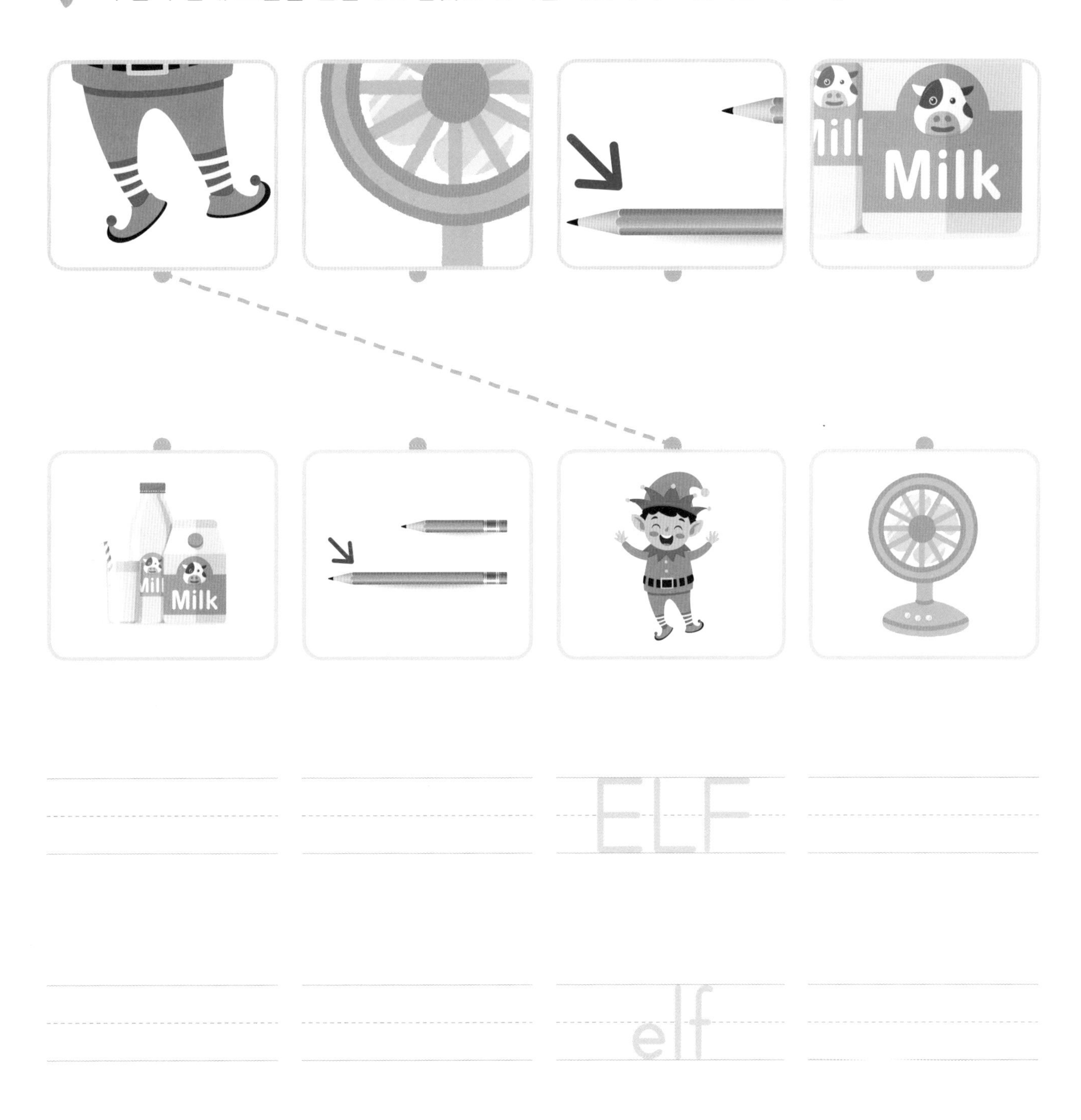

보기 **LONG GRAB ELF MILK JAM FAN**

A O

부분과 전체 그림을 연결하고 알맞은 단어를 소문자와 대문자로 써 보세요.

보기 bell ball make lick kick oink